Même pas peur...
du docteur

Texte : Céline Lamour-Crochet
Illustrations : Patrick Morize

LAROUSSE

Léo le petit croco ne se sent pas bien ce matin.
Il est **fatigué** et n'arrête pas d'**éternuer**.

– Ça ne va pas ? s'inquiète sa maman.
– J'ai le **nez** qui coule et j'ai mal
à la **gorge**, gémit Léo.

La maman appelle le **docteur**. Léo ne l'a encore jamais vu, mais il en a **peur**.

D'après son voisin, ce serait un crocodile **géant**, effrayant, avec de très longues **dents** !

Plus tard, Léo entend du bruit dans l'escalier :
boum, boum, boum ! Son cœur s'accélère,
il se demande ce que le docteur va lui faire.

Quand le **docteur**
entre dans la chambre...
il n'y a aucun petit croco.

— Où est passé Léo ? demande-t-il à la maman.
C'est alors qu'ils entendent un bruit sous le lit :
« **Atchoum** ! »

— Je vais avoir besoin de toi, Léo, annonce le docteur d'une voix douce. Je ne vois pas bien sans mes **lunettes**.

Elles sont dans ma **mallette**. Peux-tu me les chercher, s'il te plaît ?

Léo apparaît timidement pour **aider** le grand docteur. Le petit croco le trouve plutôt **rigolo** avec son étrange nœud papillon et son chapeau.

Après avoir trouvé les **lunettes**,
il s'assoit près de sa maman.

Le docteur prend la **température** du petit malade et regarde sa gorge et ses oreilles. Finalement, il est très **doux** et ne fait pas mal du tout. Léo est **rassuré**.

— Ce n'est qu'un gros **rhume**. Tu vas rester au chaud
et dans deux jours tu iras mieux. Ce **sirop** calmera
ta toux, déclare le docteur en partant.

Léo fait alors un **gros câlin**
à sa maman et s'endort
tranquillement.

Dès le lendemain, Léo se sent mieux. Maintenant c'est sûr, il n'aura **même pas peur du docteur**.